ISBN 978-1-943521-08-1

Die Tuttle Zwillinge und das Gesetz

Covergestaltung: Elijah Stanfield
Herausgeber und Satz: Connor Boyack
Deutsche Übersetzung: Enno Samp

Gedruckt in den USA

10 9 8 7 6 5 4 3 2 1

DIE TUTTLE ZWILLINGE
und das
GESETZ

CONNOR BOYACK

Zeichnungen von Elijah Stanfield

Dieses Buch ist Frédéric Bastiat
(1801-1850) gewidmet.

Er war ein großer Mensch und
ein bedeutender Denker.

Ethan und Emily Tuttle waren zwei fröhliche, neunjährige Zwillinge, die mit großer Begeisterung neue Dinge kennen lernten. Sie waren Geschwister und gleichzeitig waren sie sehr gute Freunde. Sie haben viele gemeinsame Dinge unternommen.

Weisheit

Eines Tages sprach ihre Lehrerin Mrs. Miner in der Schule über die Weisheit. Weisheit ist, sagte sie, wenn eine Person über sehr wichtige Dinge Bescheid weiß.

Als Hausaufgabe sollten Ethan und Emily mit jemandem sprechen, der weise ist.

Sie sollten einen weisen Menschen bitten, ihnen etwas sehr Wichtiges beizubringen. Bei dem Gedanken an jemanden, der weise ist, kam den beiden gleich ihr Nachbar Fred in den Sinn.

Fred war ein älterer Mann. Er war in Frankreich aufgewachsen. Für Ethan und Emily war er fast wie ein Großvater, von dem sie schon sehr vieles gelernt hatten.

Sie sprachen oft miteinander, wenn die Zwillinge auf dem Rasen spielten und Fred in seinem Garten arbeitete.

ETHAN
Emily

Fred wusste eine Menge interessanter Dinge. Die Zwillinge konnten ihn fast alles fragen – zum Beispiel über die Entstehung der Wolken...

...wie der Motor eines Autos funktioniert oder über die besondere Flugtechnik des Kolibris.

Es schien so, dass Fred auf wirklich jede Frage eine Antwort wusste! Also war er genau der Richtige für dieses Gespräch über die Weisheit.

Nach der Schule brachten Ethan und Emily
ihre Schulranzen nachhause und sie umarmten
ihre Mama. Danach nahmen sie sich jeder einen
Notizblock und einen Bleistift und rannten
sogleich quer über die Wiese zu Freds Haus.

Sie klingelten und Fred öffnete ihnen. Er begrüßte
sie mit einem breiten Grinsen. „Na, wie geht es
meinen allerliebsten Nachbarn?", fragte er sie.

Die Zwillinge lachten. Es gefiel ihnen gut, dass sie
für ihn die allerliebsten Nachbarn waren.

„Was kann ich heute für euch beide tun?", fragte Fred.

„Heute hat uns Mrs. Miners etwas über die Weisheit erzählt," berichtete Ethan. „Wir sollen mit jemandem sprechen, der ein wirklich weiser Mensch ist," sagte Emily.

„So so," sagte Fred, als er verstand, warum die beiden zu ihm gekommen waren. Er kicherte. „Und ihr denkt, dass ich da der richtige Ansprechpartner für euch bin?"

„Du hast es erraten!" sagte Emiliy „Hilfst du uns?"
fragte Ethan. „Mrs. Miner hat gesagt, dass du uns
etwas wirklich Wichtiges beibringen sollst."

„Ich kann es probieren," meinte Fred, als er sich
umdrehte. „Ich glaube, ich weiß schon, worüber
wir sprechen können. Kommt mal mit!"

Emiliy huschte als erste durch die Tür. Sie war die Energischere von den beiden. Ethan kam hinterher und sie folgten Fred die Treppe hinauf.

Hier oben war es wie in einer Bibliothek, alles voller Bücher. Und überall lagen Stapel mit noch mehr Büchern herum. Fred war ein echter Bücherwurm.

„Setzt euch, Kinder," sagte Fred und zeigte auf das Sofa. „Ich möchte euch helfen, etwas sehr, sehr Wichtiges zu verstehen."

Fred nahm ein Buch aus dem Regal. „Es geht um etwas, was jeden Menschen jeden Tag betrifft," sagte er.

Die Tuttle Zwillinge staunten. „Was konnte das sein?"
fragten sie sich.

Ethan war sehr clever und mochte es, die Sachen
selbst heraus zu finden. Er fragte, ob es etwas mit
Ernährung zu tun hatte. Schließlich muss jeder
Mensch an jedem Tag essen.

Emily war sehr kreativ. Sie hatte eine andere Idee.
„Ich wette, es geht um die Sonne!" sagte sie.

„Ihr habt recht, beides ist sehr wichtig. Aber – ich
hatte an etwas anderes gedacht," sagte Fred.

Ethan war aufgeregt. „Was ist es?" fragte er. Er
wurde immer ungeduldiger.

Fred zeigte ihnen das Buch, das er aus dem Regal
genommen hatte. „Dieses hier!" sagte er.

Ethan und Emily lasen den Titel des Buches: „Das Gesetz". Und sie wussten kaum, wie man den Namen des Autors richtig ausspricht: Frédéric Bastiat.

„Meine Eltern haben mich nach ihm benannt," erklärte Fred. „Er hat sehr wichtige Ideen gelehrt und er kämpfte gegen die bösen Menschen in der Regierung."

Die Zwillinge schauten sich erstaunt an. „Haben wir wirklich jeden Tag mit dem Gesetz zu tun?" fragte Emily und schaute Fred an.

„Glaubst du, dass das Gesetz wirklich sooo wichtig ist?" sagte Ethan und runzelte die Stirn. „Bist du ganz sicher?" fragte er und schrieb auf seinen Notizblock: „Das Gesetz".

„Na klar. Es ist total wichtig," antwortete Fred. „Und ich wette, dass ihr mir zustimmen werdet, nachdem ich es euch erklärt habe."

Aber Ethan war noch nicht überzeugt. Wenn er wirklich interessante Dinge gelernt hatte, ging es bisher um spannende Sachen wie Haie oder Raketen.

„Unser Onkel ist Polizist," berichtete Emily. „Ich denke, er arbeitet mit dem Gesetz."

„Ja, richtig," stimmte Fred zu. „Wenn Leute vom Gesetz sprechen, meinen sie meistens Strafzettel für zu schnelles Autofahren oder die Steuern, die sie bezahlen müssen. Aber es geht dabei um noch viel mehr!" sagte er.

„Ihr, ich und jeder andere Mensch besitzt etwas, das man 'Rechte' nennt," erklärte er.

Und Emily notierte sich auf ihren Block: „Wir haben Rechte."

„Wenn man Rechte hat, bedeutet das, dass ich manche Dinge tun darf und kein Mensch darf mich davon abhalten," erklärte Fred.

„Zum Beispiel, wenn ich mit meinen eigenen Spielsachen spiele?" überlegte Ethan.

„Na klar," sagte Fred. „Oder dass du reden darfst über alles, was du möchtest, dass du mit deinen Freunden zusammen sein darfst oder dass du in die Kirche gehen darfst."

„So lange ihr noch Kinder seid, sind eure Eltern dafür verantwortlich, euch eure Rechte beizubringen und wie ihr sie richtig für euch nutzt," sagte er. „Aber nicht mehr, wenn ich erwachsen bin!" sagte Emily. Und sie stellte sich auf ihre Zehenspitzen, um größer zu sein.

„Richtig," antwortete Fred. „Wenn ihr erwachsen seid, sollte euch niemand davon abhalten, dass ihr selbst für eure Rechte einsteht. Ihr seid dann für euch selbst verantwortlich."

Ethan überlegte, wie er und Emily wohl als Erwachsene sein würden. Und was sie mit all ihren Rechten dann tun würden?

12
DR.

„Ich weiß, dass ihr und eure Eltern in die Kirche geht," sagte Fred. Ethan und Emily nickten. „Seht mal – mit den Rechten ist es so: Gott hat allen Menschen das Leben geschenkt und er hat jedem die Fähigkeit gegeben, zu denken und zu lernen."

„Gott hat uns auch die Fähigkeit gegeben, zu wissen, wann etwas richtig oder falsch ist," erklärte er ihnen.

Ethans Augen glänzten. „Das nennt man unser Gewissen!" sagte er mit lauter Stimme.

„Genau, Ethan," antwortete Fred. Er freute sich, dass die beiden allmählich verstanden, worauf er hinaus wollte.

Ethan notierte „Wir haben ein Gewissen." Und Emiliy schrieb in ihren Block „Gott hat uns unsere Rechte gegeben."

„Gott hat uns diese Dinge gegeben. Und wir haben die Verantwortung, sie zu bewahren und zu entwickeln," sagte Fred. Und mit ernstem Blick ergänzte er: „Wir müssen sie aber auch beschützen."

„Vor bösen Menschen?" fragte Emily und sie
streckte ihre Faust in die Luft.

„Genau," antwortete Fred und grinste. „Weil
Menschen ihre Rechte schützen wollen und weil
sie die bösen Menschen stoppen wollen, tun sie
sich zu Gemeinschaften zusammen. Oft werden
solche Gemeinschaften Staaten genannt," sagte er.

Emily und Ethan verschränkten ihre Arme und sie
rannten durch den Raum und boxten in die Luft.
„Das bedeutet, dass der Staat gegen die bösen
Menschen kämpft, richtig?" fragte Ethan. Und er
stellte sich dabei die Mitarbeiter der Regierung als
Superhelden vor.

„So sollte es sein, Ethan. Aber leider funktioniert es nicht immer so," sagte Fred. „Denn sehr oft kommen auch böse Menschen in die Regierung!"

Die Zwillinge hörten mit dem Boxen auf und machten ungläubige Gesichter. Sind da etwa böse Menschen in der Regierung? Wie kann das denn sein?

„Die bösen Menschen in der Regierung sehen nicht wie Verbrecher aus und sie sind auch nicht maskiert," sagte Fred. „Sie sehen ganz normal aus und sie sagen Dinge, die den Menschen gut gefallen," erklärte er.

Emily schrieb sich zur Erinnerung auf: „In der Regierung können böse Menschen sein."

„Aber was machen die bösen Menschen in der Regierung?" war die nächste Frage von Ethan.

„Das ist eine sehr gute Frage, Ethan," bemerkte Fred, als er aus dem Fenster schaute. „Lasst uns mal in den Garten gehen. Dort kann ich es euch gut erklären."

Es war ein sonniger Nachmittag und die frische Luft tat ihnen gut. Ethan mochte es, draußen neue Dinge zu entdecken. Emily liebte es, hinter Schmetterlingen und Vögeln her zu laufen.

Fred ging mit ihnen zum Gemüsegarten, wo er jeden Tag arbeitete.

Bei ihm wuchsen Tomaten, Mais, Pfeffer, Zucchini und viele andere Dinge.

„Seht ihr die wundervollen Tomaten hier?" fragte Fred. „Mrs. Lopez von gegenüber freut sich immer so sehr, wenn ich ihr einige davon gebe."

Fred pflückte eine reife rote Tomate und hielt sie den Zwillingen hin. „Was würdet ihr dazu sagen, wenn sie sich hier eine Tomate nehmen würde ohne mich zu fragen?" fragte er die beiden.

„Das wäre selbstverständlich nicht in Ordnung," sagte Emily nüchtern. Ihre Eltern hatten ihnen natürlich beigebracht, dass man nicht stiehlt.

„Eigentlich sollte ihr Gewissen sie davon abhalten," überlegte Ethan.

„Aber ja," antwortete Fred.

„Nun stellt euch mal vor, Mrs. Lopez würde euren Onkel, den Polizisten bitten, ihr dabei zu helfen, sich bei mir Tomaten zu holen. Wie wäre es, wenn er hier bei mir Tomaten nehmen würde, um sie Mrs. Lopez zu geben?"

Ethan vermutete, dass das eine Fangfrage war. „Das wäre auch falsch," sagte er vorsichtig.

„Und was, wenn es jemand von der Regierung für sie tun würde?" fragte er Emily.

„Falsch ist falsch. Ganz egal, wer etwas Verbotenes tut," sagte sie.

„Exakt. Genau so ist es," sagte Fred und freute sich, dass die Zwillinge verstanden, was er meinte.

„Stehlen ist immer falsch," schrieb Ethan sich auf.

„Ihr beiden lernt gerade etwas, das sehr viele Menschen nicht verstehen," sagte Fred. „Erinnert ihr euch, dass wir alle – jeder Mensch – die gleichen Rechte haben? Und dass wir eine Regierung haben, um diese Rechte zu schützen?"

Das Gesetz
•Wir haben ein Gewissen.
Stehlen ist immer falsch.

„Logo," sagte Emily und mit verschränkten Armen waren sie und Ethan wieder bereit, die bösen Kerle abzuwehren.

„Wenn etwas für uns falsch oder verboten ist, dann gilt das genauso auch für die Leute in der Regierung," erklärte Fred. Ethan und Emily nickten. „Falsch ist falsch. Da gibt es keine Ausnahmen," sagte Emily.

Freds Katze Dusty war ihnen nach draußen
gefolgt und begann zu schnurren. Ethan
streichelte sie und fragte: „Aber was genau tun
denn die bösen Menschen in der Regierung?"

„Kommt zurück nach drinnen. In der Küche kann
ich es euch zeigen," sagte Fred. Und sie rannten
um die Wette – wer war zuerst drinnen?

Fred öffnete die Tür zu seiner großen Vorratskammer.
Hier gab es Nahrungsmittel auf vielen Regalen. Es
sah fast aus wie in einem Geschäft.

„Ich habe hier so viele Vorräte, dass ich auch
Menschen helfen kann, wenn sie hungrig sind,"
erklärte Fred.

Emily gefielen die vielen Schachteln mit Getreide.
Ethan probierte zu zählen, wie viele Chili-Dosen Fred
hatte.

MATEN
OMATEN
OMATEN
TOMATEN
TOMATEN
POTATO FLAKES
POTATO FLAKES
DEHYDRATED BEANS
DEHYDRATED BEANS
DEHYDRATED BEANS
DEHYDRATED BEANS
SUGA
SUGA

„Ich lade zum Beispiel eine Familie zu mir zum
Essen ein, wenn der Vater seinen Arbeitsplatz
verloren hat. Oder auch wenn sie ein Baby
bekommen haben," erzählte Fred.

„Das ist wirklich sehr freundlich," meinte Emily.

„Aber was hat das mit der Regierung zu tun?"
fragte Ethan.

„Natürlich gar nichts," stellte Fred fest. „Ich helfe
den Menschen, weil ich das gerne tue. Aber
außerdem zwingt die Regierung mich auch dazu,
noch mehr Menschen zu helfen."

„Aber ist das wirklich schlimm?" fragte Emily. „Es
gibt doch viele kranke und hungrige Menschen,
die Hilfe benötigen. Stimmt's?"

„Erinnert ihr euch an meine Frage, ob euer Onkel als Polizist für Mrs. Lopez Tomaten aus meinem Garten nehmen darf?" fragte Fred zurück. Die Zwillinge nickten. Stehlen ist immer verkehrt, erinnerten sie sich.

„Aber genau so verhalten sich die bösen Menschen in der Regierung. Sie nehmen mir meine Sachen weg, um sie ohne meine Zustimmung anderen zu geben. Und manchmal geben sie die Dinge auch an ihre Freunde anstatt damit den Bedürftigen zu helfen," erzählte Fred.

„Das ist ja wie bei den Piraten!" sagte Ethan. Und er stellte sich vor, wie Fred von einem Seeräuber mit dem Schwert bedroht wurde.

Fred kicherte. „Genau, Ethan. Wenn Piraten stehlen, dann nennt man das auch stehlen. Und wenn die bösen Menschen in der Regierung das gleiche tun, dann ist es erlaubtes Stehlen."

„Erlauben es die Gesetze denn, dass die bösen Menschen in der Regierung wie die Piraten stehlen?" fragte Emily.

„Nun, wenn ein Gesetz der Regierung etwas erlaubt, was mir nicht erlaubt ist, dann ist es kein wahres Gesetz," sagte Fred.

TOMATEN
Das Gesetz

„Wahre Gesetze schützen die Menschen und schützen
auch deren Eigentum vor Diebstahl," erklärte Fred.
„Wenn es wahre Gesetze gibt, die von allen respektiert
werden, arbeiten die Menschen, damit es ihnen besser
geht. Und sie arbeiten dabei friedlich mit anderen
Menschen zusammen. So geht es allen besser und alle
sind glücklicher."

Ethan notierte sich: „Wahre Gesetze beschützen die Menschen.“

Fred fuhr fort: „Wenn die Regierung nicht stehlen darf, um anderen zu helfen, dann sind die hilfsbedürftigen Menschen auf die freiwillige Unterstützung von anderen angewiesen.“

„Aber wenn das Gesetz den Diebstahl durch die Regierung erlaubt, dann führt das schließlich dazu, dass jeder gegen jeden kämpft und jeder das meiste haben möchte."

„Alle wollen viel lieber etwas vom Staat bekommen, als etwas an ihn abzugeben. Es gibt sogar Menschen, die sich lieber komplett vom Staat versorgen lassen, als selbst zu arbeiten. Und so fangen die bösen Menschen in der Regierung an, alles zu kontrollieren."

44

„Und genau das mögen sie – die Dinge zu kontrollieren," sagte Fred den Zwillingen.

„Wenn das so ist – wer kann die bösen Menschen dann aufhalten, wenn sie in der Regierung sind?" fragte sich Emily.

„Eine sehr gute Frage!", sagte Fred und schnippte mit den Fingern. „Lasst uns noch einmal nach oben gehen und dort nach einer Antwort schauen."

Fred ging zurück in sein Büro mit den vielen Büchern
und nahm noch einmal 'Das Gesetz' in die Hand.
„Wenn die Regierung böse Dinge tut, dann kann
man kaum etwas dagegen unternehmen. Denn die
Regierung ist sehr mächtig." sagte Fred. „Es ist böse,
wenn ein Kind in der Schule andere Kinder ärgert.
Aber stellt euch einmal vor, wie es wäre, wenn die
Lehrer alle zusammen die Kinder ärgern würden."

„Dann würde ich aus der Schule wegrennen!"
antwortete Ethan. Fred stimmte ihm zu: „Das würde
ich auch." Er gab den beiden das Buch.

„Also verteidigen wir uns mit guten Ideen," sagte
Fred. „Wie die Ideen in diesem Buch, wovon ich
euch gerade erzählt habe."

„Denkt daran, dass ihr beide etwas ganz besonderes seid," sagte er den Zwillingen. „Ihr habt Rechte und ihr habt auch Verantwortung. Ihr solltet Menschen helfen, wenn sie in Not sind. Aber ihr solltet nicht durch das Gesetz dazu gezwungen werden."

Emiliy schrieb sich auf: „Wir sollten anderen Menschen helfen." – „Das klingt sehr vernünftig," meinte sie. „Aber warum wissen das die Menschen nicht alle?"

„Genau darum geht es bei der Weisheit, Emily.
Jeder von uns muss diese wichtigen Lektionen
lernen, die wir zum Leben brauchen."

„Und Bücher wie dieses hier helfen uns dabei,"
sagte er den Zwillingen und zeigte auf 'Das
Gesetz', das die beiden in der Hand hatten.

„Dafür haben die weisen Menschen in der ganzen
Geschichte ihre Bücher geschrieben. Und nun könnt
ihr euren Freunden und eurer Familie helfen, diese
Dinge zu verstehen," schlug Fred vor.

Fred sagte ihnen, dass er ihnen das Buch ausleihen
möchte, auch wenn sie noch nicht alles darin
verstehen. „Aber vielleicht möchten es auch eure
Eltern lesen," meinte er.

Er schenkte ihnen auch noch ein Glas mit
eingelegten Tomaten.

Auf ihrem Rückweg nachhause blieb Ethan plötzlich
stehen, weil er eine Idee hatte. Er flüsterte sie Emily
ins Ohr. Sie lachte und nickte. Die Zwillinge hatten
einen Plan!

Sie schauten nach links und rechts, bevor sie über die Straße gingen. Dann klopften sie bei einem Haus in der Nachbarschaft an die Tür. Mrs. Lopez öffnete ihnen und sie freute sich, die Zwillinge zu sehen.

„Wir haben ein Geschenk für Sie, Mrs. Lopez!" sagten Ethan und Emily zugleich. Sie gaben ihr das Glas mit den eingelegten Tomaten und strahlten über das ganze Gesicht.

„Das wollten wir ihnen gerne schenken," erklärte Ethan. „Und das war ganz allein unsere eigene Idee."

„Ihr Tuttle-Zwillinge seid sehr freundlich. Und ihr seid für euer Alter wirklich schon sehr weise!" sagte Mrs. Lopez.

Als Dank für das Geschenk bot sie den beiden von ihren selbstgebackenen Plätzchen an. Ethan und Emily waren sehr glücklich, dass sie heute etwas über die Weisheit gelernt haben.

Jetzt möchten sie dieses Wissen mit anderen teilen!

Ende

Der Autor

Connor Boyack ist Präsident des Libertas Institute, einer öffentlichen Denkfabrik in Utah (USA). Er hat mehrere Bücher über Politik und Religion geschrieben sowie hunderte von Artikeln, in denen er sich für die persönliche Freiheit einsetzt. Über seine Arbeit wurde national und international in Radio, Fernsehen und Zeitschriften berichtet.

Er wurde in Kalifornien geboren und hat an der Brigham Young University studiert. Er lebt zusammen mit seiner Frau und seinen zwei Kindern in Lehi (Utah).

Der Zeichner

Elijah Stanfield ist Inhaber des Medienunternehmens Red House Motion Imaging in Washington.

Er beschäftigt sich seit langem mit der Österreichischen Schule der Nationalökonomie, mit Geschichte und mit der Philosophie des klassischen Liberalismus. Mit großem Engagement widmet er sich der Verbreitung der Ideen von freien Märkten sowie der persönlichen Freiheit. Für die Kampagne zur Bewerbung des libertären Politikers Ron Paul als amerikanischer Präsident im Jahr 2012 hat er acht Videos produziert. Er lebt mit seiner Frau und ihren fünf Kindern in Richland (Wahsington).

Besucht uns auch auf TuttleTwins.com!

Liebe Eltern,

Mein Name ist Frédéric Bastiat. Was Ihre Kinder hier gerade lesen, ist eine vereinfachte Version meines Buches „Das Gesetz".

Ich habe dieses Buch im Jahr 1850 geschrieben. Aber ich bin mir sicher, dass die Inhalte für Sie heute mindestens ebenso wichtig sind, wie sie es zu meiner Zeit waren. Vermutlich sind sie heute sogar noch wichtiger!

In „Das Gesetz" beschreibe ich, was die wirkliche Aufgabe des Staates ist und was wirklich wahre Gesetze sind. Wenn Sie die Freiheit mögen oder eine auf ein Minimum beschränkte Regierung, dann wird Ihnen mein Buch gefallen.

Mehr Informationen über mich und einige meiner Schriften sind unter www.bastiat.de online verfügbar.

"Nicht weil die Menschen Gesetze erlassen haben, gibt es Persönlichkeit, Freiheit und Eigentum. Sondern weil Persönlichkeit, Freiheit und Eigentum vorherbestehen, erlassen die Menschen Gesetze."

"Wie erkennt man ihn [den legalen Diebstahl]? Das ist ganz einfach. Man muss überprüfen, ob das Gesetz den einen nimmt, was ihnen gehört, um anderen zu geben, was ihnen nicht gehört. Man muss überprüfen, ob das Gesetz zum Nutzen eines Bürgers und zum Schaden der anderen eine Handlung vornimmt, die der Bürger selbst nicht ohne Verbrechen vornehmen könnte."

"Ja, solange es prinzipiell anerkannt ist, dass das Gesetz von seiner wahren Aufgabe abgelenkt werden kann, dass es Eigentum verletzen kann, anstatt es zu beschützen, wird jede Klasse das Gesetz machen wollen, sei es, um sich vor Ausbeutung zu schützen, sei es um sie ebenfalls zu ihrem Nutzen zu organisieren."

"Wenn die natürlichen Neigungen der Menschheit so schlecht sind, dass man ihr die Freiheit nehmen muss, wie kommt es dann, dass die Neigungen der Organisatoren gut sind? Gehören die Gesetzgeber und ihre Vertreter nicht zur Menschheit? Sind sie denn aus anderem Lehm geknetet als der Rest der Menschen?"

Beginnen Sie mit dieser wichtigen Lektüre noch heute!

9 781943 521081